Christa Rolf

Tischdecken, Sets, Servietten nähen

Christa Rolf

Tischdecken, Sets, Servietten nähen

Alle Grundtechniken
Schritt für Schritt erklärt

AUGUSTUS

Inhalt

Lehrgang

Modelle

Vorwort

»Das Auge isst mit«: Dieser Satz umschreibt am treffendsten die Bedeutung einer liebevollen Tischdekoration.

Das vorliegende Buch beschäftigt sich mit aktuellem Design für verschiedenste Anlässe. Es gibt Ihnen leicht verständiche und praxisnahe Anleitungen zum Nähen von Tischwäsche, wie Decken, Läufer, Sets und Servietten.

Zusätzlich erhalten Sie Anregungen für passende Tischdekorationen. Die verwendeten Baumwollstoffe stammen von der Firma Westfalenstoffe AG. Sie können diese in großem Variantenreichtum in vielen Fachgeschäften erhalten. Diese Heimtextilien zeichnen sich dadurch aus, dass sie besonders farbecht und nicht chemisch behandelt sind.

Damit alles wie aus einem Guss aussieht, sollten Sie sich zunächst mit einigen Punkten beschäftigen: Welchen Tisch wollen Sie für welchen Anlass gestalten? Wie viele Personen wollen Sie einladen? Welches Geschirr wollen Sie verwenden? Welche Farben passen dazu, in welcher Stilrichtung wollen Sie das Ambiente gestalten?

Dieses Buch bietet Ihnen eine Vielzahl von Hilfen, damit Sie Ihre individuellen Gestaltungswünsche auch sicher in die Tat umsetzen können. Ein umfangreicher Lehrgangsteil liefert das Basiswissen für alle wichtigen Nähtechniken. Foto-Nähkurse und Schemazeichnungen erleichtern das Verständnis. Die Berechnungsbeispiele für Zuschnittmaße erlauben Ihnen, passgenaue Kreationen für Ihren Tisch zu arbeiten.

Verwöhnen Sie Ihre Gäste mit einer geschmackvoll komponierten Tafel! Das Lob von Freunden und der Familie wird Ihnen sicher sein. Ich wünsche Ihnen viel Freude und gutes Gelingen!

CHRISTA ROLF

Lehrgang

Stoffe

Mit Ausnahme des Themas »Japanisch schlicht und edel« stammen alle in diesem Buch verwendeten Stoffe von der Firma Westfalenstoffe AG in Münster. Diese Stoffe aus reiner Baumwolle enthalten keinerlei chemische Ausrüstung. Westfalenstoffe verfügen im allgemeinen über eine Stoffbreite von 1,50 m. Verwenden Sie Stoffe mit einer anderen Breite, so berechnen Sie bitte den Stoffverbrauch entsprechend neu.

Vor der Verarbeitung sollten Sie die Stoffe waschen, um ein späteres Einlaufen und Ausbluten der Farben zu verhindern. Bei helleren Stoffen, die nicht ausfärben können, genügt es auch, sie sehr heiß mit Dampf abzubügeln. Die Webkante der Stoffe wird vor der Verarbeitung grundsätzlich entfernt.

Arbeitsmaterialien und Zubehör

Moderne Zuschneidewerkzeuge wie Rollschneider, Schneidematte und durchsichtiges Schneidelineal, wurden eigentlich für das Patchwork entwickelt. Diese Werkzeuge leisten Ihnen aber auch gute Dienste beim Zuschneiden von Tischdecken und Servietten.

Obwohl es problemlos möglich ist, mit dem Rollschneider mehrere Lagen Stoff zu durchschneiden, sollten Sie bei Karo- und Streifenstoffen darauf verzichten und jede Lage einzeln schneiden. So können Sie dem Musterverlauf besser folgen.

Bei bestimmten Zuschnitten kann es im Einzelfall auch einfacher sein, wenn Sie diese mit einer guten Stoffschere schneiden. Die Schere ist ebenfalls unerlässlich beim Zuschnitt von Rundungen und Applikationen.

Markierungsstifte sind ein weiteres wichtiges Hilfsmittel. Ideal für hellere Stoffe sind Markierungsstifte, die sich durch Ansprühen mit Wasser wieder auflösen (z.B. von *Prym*). Aufgrund ihrer blauen Farbe sind sie jedoch für dunkle Stoffe wenig empfehlenswert. Für diese Stoffe eignet sich entweder ein Silberstift oder ein heller Kreidestift (beide z.B. von *Prym*).

Stickvlies (von *Freudenberg*) hilft Ihnen z.B. beim Applizieren oder Sticken. Es ist ein Vliesstoff, der während des Nähens unter das zu nähende Stück gelegt wird, und ein Verziehen des Stoffes verhindert. Anschließend lässt sich das Stickvlies einfach durch Abreißen entfernen.

Thermolam ist ein Volumenvlies, dass sich aufgrund seiner wärmeisolierenden Eigenschaft besonders für Sets oder Topflappen eignet.

Passend zur Tischwäsche gefertigte Tischkärtchen, eine Menuekarte, die auf die zu erwartenden Gaumenfreuden hinweist oder vielleicht eine stilvoll gestaltete Einladungskarte unterstreichen den festlichen Charakter einer Tafel.

Der Handel bietet mittlerweile eine Fülle von vorgeschnittenen Karten zum Selbstgestalten. Sollte Ihnen diese Auswahl nicht genügen, können Sie aus Fotokarton oder offener Wellpappe Ihre eigenen Karten herstellen. Ein Rollschneider mit einer alten Klinge und das Schneidelineal sind dazu ideale Werkzeuge.

Aufgeklebtes Dekomaterial wie Schleifen, Bänder, Federn, Muscheln oder Streuteile aus Holz bzw. Metall eröffnen eine Fülle von kreativen Gestaltungsmöglichkeiten. Auch pfiffige, individuelle Accessoires, wie handbemalte Keramikknöpfe oder selbst genähte Anhänger aus Stoff können nette Ergänzungen darstellen. In jedem Kapitel finden Sie verschiedenste Anregungen für individuell passendes Zubehör.

Nahtzugaben

Die Modelle in diesem Buch wurden mit einer Nahtzugabe von 0,75 cm gearbeitet. Viele Nähmaschinen sind mit einem Standardfüßchen ausgerüstet, bei dem der Abstand zwischen der mittleren Nadelposition und dem äußersten rechten Rand des Nähfüßchens (an dem der Stoff entlangläuft) 0,75 cm beträgt.

Den Abstand Ihres Nähfüßchens überprüfen Sie am besten, indem Sie ohne Garn auf Millimeterpapier nähen. Sollte Ihre Maschine eine andere Nahtbreite aufweisen, können Sie sich behelfen, indem Sie

✓ die Nadelposition verändern oder
✓ die Nahtzugabe von 0,75 cm mit einem bunten Klebestreifen auf Ihrer Maschine markieren.

Ab Seite 45 finden Sie die Vorlagen für die Modelle dieses Buches. Sämtliche Vorlagen enthalten keine Nahtzugaben, d.h. diese müssen beim Zuschneiden separat berücksichtigt werden.

Nähte und Säume

Die Verbindung von zwei Stoffteilen erfolgt üblicherweise durch eine normale Naht mittels Nähmaschine. Dazu werden beide Stoffteile rechts auf rechts zusammengelegt und füßchenbreit entlang der Kanten genäht.

Beim Verstürzen (z.B. bei dem Set in Tulpenform, Seite 15) werden zwei gleich große Stoffteile rechts auf rechts zusammengesteckt und ringsherum, entlang der äußeren Kante, füßchenbreit zusammengenäht. An einer Seite der Naht bleibt ein Stück zum Wenden offen. Durch diese Öffnung wird das genähte Teil gewendet und dann die restliche Naht von Hand geschlossen.

Tischdecken verfügen häufig über einen ca. 4 cm breiten, gesteppten Saum. Dafür wird ca. 1 cm Saumzugabe zur linken Seite gebügelt und dann nochmal 4 cm umgebügelt. Den so vorbereiteten Saum mit Stecknadeln fixieren und knappkantig feststeppen. Wollen Sie jedoch eine größtmögliche Ausbeute der Stoffbreite, so können Sie notfalls auch mit einer Saumbreite von 1 cm arbeiten.

Bei runden oder ovalen Decken wird die äußere Kante mit Schrägband eingefasst (siehe Foto-Nähkurs, Seite 17). In diesem Fall wird kein zusätzlicher Stoff für die Saumzugabe benötigt.

Für sehr große Decken müssen Sie zwei Stoffteile mit einer Naht verbinden, um die gewünschte Stoffbreite zu erzielen. Dazu wird am besten eine Kappnaht verwendet, die sich als besonders stabil erwiesen hat (siehe Foto-Nähkurs, Seite 44).

Maße und Zuschnitte

Quadratische und rechteckige Tischdecken

Fertig konfektionierte Tischwäsche verfügt fast immer über standardisierte Maße: bei quadratischen Decken 80 x 80 cm oder 110 x 110 cm, bei rechteckigen Decken 130 x 170 cm oder 150 x 250 cm. Selbst genähte Tischwäsche dagegen hat den Vorteil, dass Sie die Maße Ihrem Tisch anpassen können und über die Farbe nach Ihrem Geschmack entscheiden.

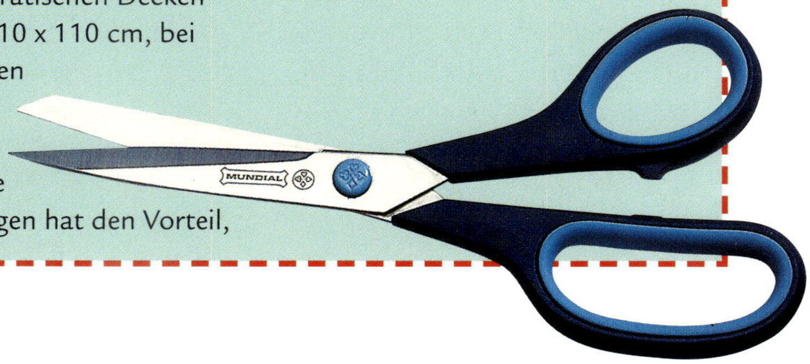

Die Größe einer Tischdecke ist abhängig von den Maßen der Tischplatte und vom seitlichen Fall der Tischdecke, der üblicherweise an der Tischbreite und -länge gleich lang ist. Für eine üppige Tafel kann die Tischdecke auch bis auf den Boden reichen. In diesem Fall richtet sich der seitliche Fall nach der Höhe des Tisches.

Als Rechenbeispiel dient hier ein Tisch, bei dem die Größe der Tischplatte 70 x 110 cm beträgt und der seitliche Fall über eine Höhe von 30 cm verfügen soll:

✓ Tischbreite: 70 cm + 2 mal 30 cm seitlicher Fall = 130 cm
✓ Tischlänge: 110 cm + 2 mal 30 cm seitlicher Fall = 170 cm

Das fertige Maß der Tischdecke beträgt in diesem Fall 130 x 170 cm. Zum Fertigmaß addiert man ringsherum 5 cm für den Saum, sodass sich für diese Tischdecke ein Stoffbedarf von 140 x 180 cm ergibt.

Sollten Sie, je nach Tischmaß oder seitlicher Fallhöhe, eine größere Stoffbreite als 140 oder 150 cm benötigen, besteht die Möglichkeit, die Breite des Stoffes durch angesetzte doppelte Blenden zu vergrößern (siehe Mitteldecke, Seite 31).

Tischläufer

Breite Tischläufer liegen zur Zeit sehr im Trend. Sie kommen entweder als Einzelstück (siehe Seite 38) oder paarweise zum Einsatz, wobei wiederum die Möglichkeiten bestehen, zwei Läufer über Kreuz zu legen (siehe Seite 32) oder zwei gleich lange Läufer nebeneinander anzuordnen.

Die Breite eines üblichen Tischläufers variiert zwischen 35 und 55 cm. Die Länge richtet sich nach den Maßen des Tisches und dem gewünschten seitlichen Fall. Dieser sollte bei Tischläufern mit geraden Kanten mindestens 20 cm betragen. Bei Läufern mit Spitzen sollte der seitliche Fall entsprechend länger sein.

Für einen Läufer mit spitzen Enden zuerst einen Stoffstreifen in der gewünschten Breite plus zweimal Saumzugabe zuschneiden. Zur gewünschten Länge ebenfalls zweimal die Saumzugabe addieren und auf die entsprechende Länge schneiden. Den so vorbereiteten Streifen der Länge nach zur Hälfte doppelt legen. Auf den so entstandenen Stoffbruch die 45°-Markierung des Schneidelineals auflegen (siehe Foto) und mit Hilfe des Rollschneiders den Winkel zuschneiden. Das andere Ende genauso arbeiten.

Runde Tischdecken

Zur Berechnung von runden Tischdecken addieren Sie zum Durchmesser der Tischplatte zweimal den seitlichen Fall. Erfolgt die Einfassung mit Schrägband, benötigen Sie für den Saum keine weitere Nahtzugabe (siehe auch Foto-Nähkurs »Einfassen mit Schrägband«, Seite 17).

Zum Zuschneiden den Stoff zur Hälfte doppelt legen. Vom Mittelpunkt des Stoffbruches aus mit Hilfe eines Maßbandes den benötigten Radius (= halbes Zuschnittmaß) auf dem Stoff markieren und mit einer Schere ausschneiden.

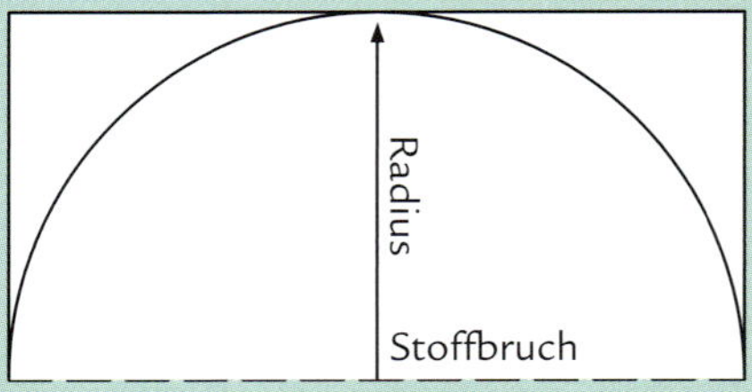

Ovale Tischdecken

Für runde Tische, in die bei Bedarf eine oder mehrere rechteckige Platten zur Verlängerung eingebaut werden können, werden regelmäßig ovale Tischdecken benötigt. Zur Berechnung des Tischdeckenmaßes messen Sie die Breite und Länge der gesamten Tischplatte und addieren zu beiden Maßen zweimal den seitlichen Fall. Da auch bei ovalen Tischdecken die Endeinfassung üblicherweise mit Schrägband erfolgt, benötigen Sie für den Saum keine weitere Nahtzugabe (siehe auch Foto-Nähkurs »Einfassen mit Schrägband«, Seite 17).

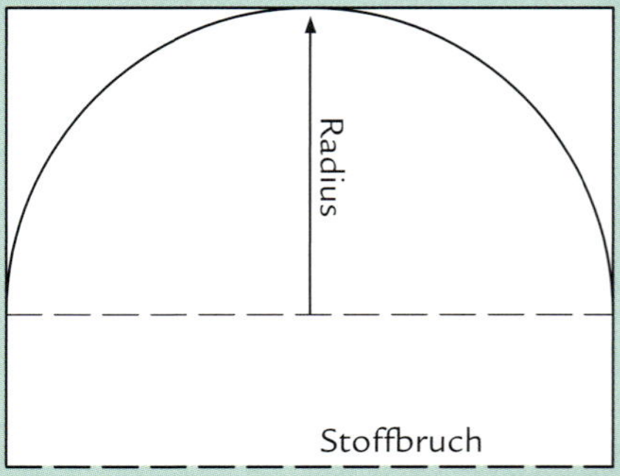

Der Zuschnitt erfolgt prinzipiell wie bei einer runden Decke, jedoch muss bei einer ovalen Decke zusätzlich das gerade Mittelteil berücksichtigt werden. Der Stoff wird quer zur Hälfte doppelt gelegt. Im Abstand der halben Länge des geraden Tisch-Mittelteils wird parallel zum Stoffbruch eine Linie markiert. Vom Mittelpunkt dieser Linie wird, wie bei der runden Decke, mit einem Maßband der Radius (= halber Durchmesser) angezeichnet und die Decke zugeschnitten.

Servietten

Gerade bei selbst genähter Tischwäsche haben Sie die Gelegenheit, Servietten passend zur Decke zu gestalten und damit die Wirkung des gedeckten Tisches erheblich zu steigern.

Die Größe der Servietten variiert je nach Anlass. Die normale Größe beträgt 40 x 40 cm oder 45 x 45 cm. Für eine festliche Speisentafel darf die Serviette auch über eine Größe von 50 x 50 cm oder mehr verfügen.

Besonderes Augenmerk wird bei einer Serviette auf die Gestaltung des Randes gelegt. Interessante Blenden und Applikationen bieten Ihnen vielfältige Möglichkeiten. Anregungen hierzu erhalten Sie in diesem Buch bei den verschiedensten Themen.

Sets

Ursprünglich waren Sets als praktischer Tisch- und Deckenschutz gedacht, der schnell gewaschen und gebügelt werden kann. Zum Tisch passende Sets runden als dekorative Elemente das gesamte Ambiente ab. Dabei bieten kreative Formen und Gestaltungen weitreichenden Spielraum (siehe Seite 15 und Seite 27). Sets verfügen traditionell über eine rechteckige Form und eine Größe zwischen 30 x 40 bis 40 x 50 cm. Wie bei Servietten können auch hier mit besonderen Randlösungen interessante Effekte erzielt werden.

Blenden

Angeschnittene Blende mit Briefecke

Diese Form der Randlösung wird häufig für Servietten oder Mitteldecken verwendet (siehe Servietten, Seite 27). Die angeschnittene Blende ist besonders eindrucksvoll, aber auch etwas aufwändiger. Mit ein wenig Übung lässt sie sich jedoch problemlos nähen.

Die fertige Breite der Blende beträgt bei Servietten zwischen 4 und 5 cm, bei Tischdecken etwas mehr. Die Zuschnittgröße für ein Teil mit angeschnittener Blende wird wie folgt berechnet:
Gewünschte fertige Größe der Serviette oder Decke
+ zweimal Breite der fertigen Blende
+ zweimal 1 cm Einschlag

Als Rechenbeispiel dient hier eine Serviette von 40 x 40 cm fertiger Größe und einer 4 cm breiten Blende:
40 cm (fertige Größe)
+ 8 cm (zweimal Breite der fertigen Blende)
+ 2 cm (zweimal 1 cm Einschlag)
Für die Serviette wird nach dieser Rechnung ein Quadrat von 50 x 50 cm zugeschnitten.

1 Ringsherum an allen vier Kanten 1 cm Einschlag und die Breite der Blende mit einem Stift markieren.

2 Jeweils entlang beider markierter Linien den Stoff zur Vorderseite hin umbügeln.

3 In den Ecken die Stoffzugabe für die Blende bis an den Kreuzungs-

punkt der beiden inneren Bügellinien diagonal nach innen klappen. Diese entstandene Linie erneut gut bügeln. Anschließend die Ecke wieder aufklappen.

4 Die diagonale Bügellinie rechts auf rechts legen. Auf der gebügelten Linie die Ecke abnähen; dabei bleibt der 1 cm breite Saum eingeschlagen. Nahtanfang und -ende verriegeln. Auf diese Art und Weise alle vier Ecken fertigstellen.

5 In der Spitze die Nahtzugabe etwas zurückschneiden. Die übrige Nahtzugabe auseinanderlegen.

6 Den Saum wenden und die Ecken herausarbeiten. Die innere Blendenkante feststecken und knappkantig annähen.

Angeschnittene Blende mit Biese

Diese Variante der angeschnittenen Blende wird nach dem gleichen Prinzip gearbeitet wie die angeschnittene Blende mit Briefecke, allerdings liegt neben der Blende innen noch ein andersfarbiger Stoffstreifen, eben die Biese, als Kontrast. In diesem Buch wurde diese Blendenform u. a. bei dem weihnachtlichen Tischläufer verwendet (siehe Seite 38).

Zur Berechnung der Zuschnittgröße dient folgende Formel:
Gewünschte fertige Größe (Länge und Breite)
+ zweimal Breite der fertigen Blende
+ zweimal Nahtzugabe von 0,75 cm

1 Für eine 1 cm breite andersfarbige Biese vier Streifen von 3,5 cm Breite zuschneiden. Die Länge der Biese richtet sich nach der Kantenlänge, an der die Biese angenäht werden soll. Dabei sollte der Biesenstreifen ca. 4 cm kürzer sein als die Kantenlänge. Dadurch wird die Verarbeitung in den Ecken vereinfacht.

2 Die 3,5 cm breiten Biesenstreifen der Länge nach links auf links zur Hälfte stecken.

3 Die so vorbereiteten Streifen rechts auf rechts entlang der vier Außenkanten füßchenbreit annähen. Dabei die Biesenstreifen jeweils 2 cm vor der Ecke beginnen und enden lassen.

4 Ausgehend von dieser Naht die Breite der Blende an allen vier Seiten markieren.

5 Jeweils entlang der markierten Linien den Stoff zur Vorderseite bügeln.

6 Die Herstellung der Ecke erfolgt wie bei der angeschnittenen Blende mit Briefecke (siehe Foto-Nähkurs, ab Foto 2). Die Blende entlang der Biese feststeppen.

Aufgesetzte Blenden

Diese Blenden werden aus andersfarbigen Stoffen gearbeitet als die Tischdecke oder Serviette selbst und geben so einen besonderen Pfiff. Sie werden wie ein Rahmen separat genäht und anschließend aufgesetzt (siehe Servietten, Seite 28).

Bei Servietten ist die fertige Breite der Blende meist 4 bis 5,5 cm, bei Tischdecken 10 cm und mehr.

Für die Zuschnittbreite der Blende zur gewünschten fertigen Breite 0,75 cm Nahtzugabe für den äußeren Rand und 1 cm für den Einschlag am inneren Saum addieren.

Die Zuschnittlänge der Blende richtet sich nach der Länge der Kante, auf der die Blende aufgesetzt werden soll: Zur Kantenlänge (incl. 1,5 cm Nahtzugabe) werden 2 cm addiert.

1 Pro Serviette vier Blendenstreifen in der gewünschten Breite zuschneiden. Die Streifen etwas länger als errechnet zuschneiden, da sich durch das Bügeln die Ausmaße der Streifen noch geringfügig ändern können.

2 1 cm Einschlag für den inneren Saum markieren und zur linken Seite bügeln. Erst danach die vier Streifen auf die exakt erforderliche Länge (Kantenlänge plus 2 cm) schneiden.

3 Die Ecke mit Hilfe des Schneidelineals im 45°-Winkel abschneiden.

Dazu die 45°-Markierung des Lineals an der äußeren Blendenkante anlegen.

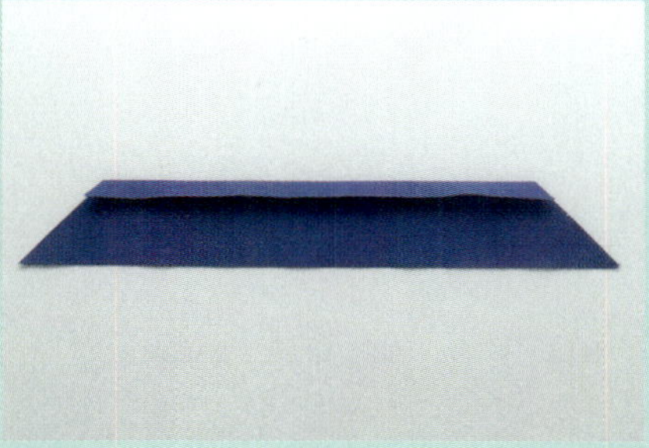

4 An beiden Enden der vier Blendenstreifen die 45°-Winkel jeweils gegengleich arbeiten.

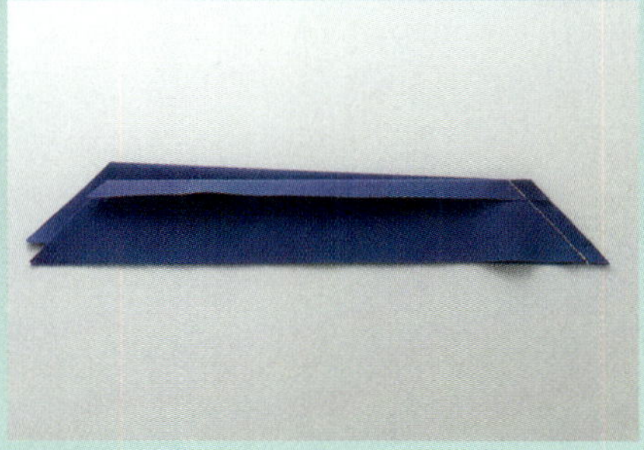

5 Blendenstreifen entlang der abgeschrägten Winkel rechts auf rechts füßchenbreit zusammennähen. Der 1 cm breite Saum bleibt dabei eingeschlagen. Nahtanfang und -ende verriegeln. Auf diese Art und Weise alle vier Ecken fertigstellen, sodass ein Rahmen entsteht.

6 Nahtzugabe auseinanderlegen und die Blende auf die linke Seite der Decke bzw. Serviette stecken. Die linke Seite der Blende zeigt dabei nach oben. Ringsum füßchenbreit annähen.

7 In den Spitzen die Nahtzugabe etwas zurückschneiden. Die Blende auf die rechte Seite wenden, die Ecken herausarbeiten und so bügeln, dass die Außenkante der Blende etwas über die Naht herausragt. Die innere Blendenkante feststecken und knappkantig annähen.

Aufgesetzte Blende aus gestreiftem Stoff

Soll die aufgesetzte Blende mit Längsstreifen gearbeitet werden (siehe Servietten, Seite 32) muss besonderes Augenmerk auf den Zuschnitt der Blendenstreifen gelegt werden. Damit sich die Längsstreifen in den Ecken exakt treffen, muss bei allen vier Blendenstreifen die Lage der Längsstreifen exakt übereinstimmen (siehe Foto rechts).

Im Allgemeinen ist es einfacher, die Streifen dem Musterverlauf folgend mit der Schere zuzuschneiden. Zum Markieren des inneren Blendensaums und beim Annähen der äußeren Blendenkante bitte ebenfalls am Musterverlauf orientieren.

Aufgesetzte Blende aus kariertem Stoff

Karostoffe erfordern schon beim Zuschnitt besondere Planung und Genauigkeit. Wie bei den Blenden aus gestreiftem Stoff kommt dem exakten Zuschnitt große Bedeutung zu. Zum einen ist darauf zu achten, dass die horizontalen Streifen des Karos parallel zur Blendenkante verlaufen; zum anderen sollen die Karos an beiden Schmalseiten gleich beginnen und enden (siehe Foto unten).

Bei quadratischen Teilen, wie Servietten oder Mitteldecken müssen alle vier Streifen identisch geschnitten sein. Bei rechteckigen Tischdecken (siehe Unterdecke, Seite 19) wird mit zwei verschiedenen Streifenlängen gearbeitet. Trotzdem müssen die Karos an allen vier Schmalseiten identisch beginnen und enden, damit das Muster in den Briefecken auch passt. Meist ist es dabei notwendig, das vorher errechnete Maß der Decke geringfügig zu verändern und der Größe der Blende anzupassen. Generell gilt für alle aufgesetzten Blenden aus kariertem Stoff, dass zuerst der Blendenrahmen gearbeitet wird und dann, je nach Größe der Blende, die Decke oder Serviette zugeschnitten wird.

Aufgesetzte Blende mit Biese

Bei dieser Variante wird der innere Saum der Blende nicht zur linken Seite umgebügelt, sondern eine schmale Biese angenäht (siehe Serviette, Seite 39). In diesem Fall beträgt die innere Saumbreite der Blende nicht 1 cm, sondern nur 0,75 cm (die Standard-Nahtzugabe).

1 Für eine 1 cm breite, andersfarbige Biese vier Stoffstreifen von 3,5 cm Breite zuschneiden. Die Länge entspricht der Länge der Blendenstreifen.

2 Die Biesenstreifen werden der Länge nach links auf links zur Hälfte gesteckt.

3 Die so vorbereiteten Streifen rechts auf rechts entlang der vier Blendenstreifen füßchenbreit annähen. Die Nahtzugabe zur Blende hin bügeln.

4 Dieses Set aus Blendenstreifen und Biese auf die exakt benötigte Länge kürzen. Weiterarbeiten, wie im Foto-Nähkurs auf Seite 11 ab Foto 3 beschrieben.

Angesetzte doppelte Blende

Diese Art der Blenden finden häufig Verwendung, wenn eine Mitteldecke aus durchsichtigem Material, wie Organza, Ausbrennerware oder ähnlichem Material besteht (siehe Mitteldecke, Seite 31). Das besondere daran ist, dass sie auf der Ober- und Unterseite gleich gearbeitet ist, sie die Tischdecke also quasi beidseitig einfasst.

Die Breite der Blende errechnet man wie folgt:
gewünschte fertige Breite mal 2 (für Vorder- und Rückseite)
+ 1,5 cm Nahtzugabe

Die Länge der benötigten Blendenstreifen ist abhängig von ihrer Breite sowie von der Größe des Innenteils: Fertigmaß des Innenteils (vom Zuschnittmaß 1,5 cm Nahtzugabe abziehen!)
+ 2 mal fertige Breite der Blende
+ 2,0 cm Nahtzugabe

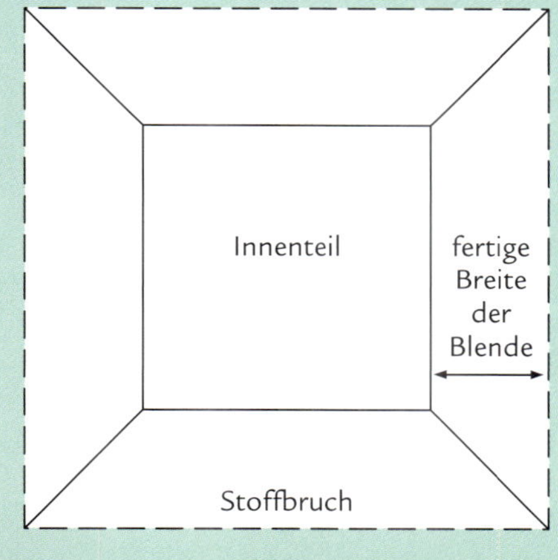

1 Innenteil zuschneiden (gewünschte Größe plus 1,5 cm Nahtzugabe).

2 Die vier Blendenstreifen in der erforderlichen Breite, jedoch etwas länger als benötigt zuschneiden – die Stoffmaße können sich durch das Bügeln geringfügig verändern.

3 Alle vier Blendenstreifen der Länge nach zur Hälfte bügeln und auf die exakt benötigte Länge kürzen.

4 Von den Ecken aus die 45°-Winkel abschrägen (siehe Foto, Seite 8). Die Streifenenden jeweils gegengleich arbeiten, sodass eine Trapezform entsteht. Anschließend die Streifen auseinander klappen.

5 Am Innenteil die Eckpunkte der Naht markieren (siehe Foto 1, Seite 22).

6 Blendenstreifen entlang der vier Außenkanten des Innenteils rechts auf rechts füßchenbreit annähen. Dabei ist wichtig, dass exakt bis zum Eckpunkt genäht wird und Nahtanfang und -ende mit einigen Vor- und Rückstichen verriegelt werden.

7 In den Ecken die Blendenstreifen entlang der abgeschrägten Kanten füßchenbreit rechts auf rechts zusammennähen, dabei wieder am Eckpunkt beginnen und zur Außenkante hin nähen.

8 In den Spitzen die Nahtzugabe etwas zurückschneiden und die restliche Nahtzugabe auseinanderlegen.

9 Entlang der vorgebügelten Falz die Blendenstreifen zur Rückseite klappen.

10 Auf der Rückseite die Nahtzugabe von 0,75 cm nach innen zur Blende hin einklappen und an der Tischdecke mit Stecknadeln fixieren. Dabei darauf achten, dass Vorder- und Rückseite der Blende an der Innenkante exakt übereinander liegen. Bei Seide kann es vorteilhafter sein, diese eingeklappte Nahtzugabe nicht nur zu stecken, sondern zu heften, da dieser Stoff beim Nähen leichter verrutscht.

11 Die Blende von der Vorderseite knappkantig feststeppen.

Modelle

Osterfrühstück

Runde Tischdecke

Größe: 1,46 m Durchmesser

Material:
1,55 m karierter Stoff mit eingewebtem Tulpenmotiv
5,00 m gelbes Schrägband

Bitte lesen Sie vorher Foto-Nähkurs »Einfassen mit Schrägband«, Seite 17

So wird's gemacht

Den Stoff zur Hälfte doppelt legen, vom Mittelpunkt des Stoffbruchs aus einen Radius von 73 cm markieren und anschließend ausschneiden (siehe auch Seite 8). Den Stoff auseinanderklappen und mit Schrägband einfassen.

Sets in Tulpenform

Größe: 31 x 41 cm

Material für zwei Sets:
50 cm gelber Stoff
50 cm Thermolam

So wird's gemacht

Die Vorlage für die Tulpenform von Seite 45 auf dem Kopierer mit 120%-Vergrößerung kopieren und an der gestrichelten Linie am Stoffbruch anlegen. Für zwei Sets aus dem gelben Stoff 4 mal die Tulpe zuzüglich Nahtzugabe ausschneiden. Jeweils ein Vorder- und ein Rückenteil des Sets rechts auf rechts zusammenstecken.

Beide Teile zusammen auf ein entsprechend großes Stück Thermolam stecken und ringsherum zusammennähen. An der unteren Kante ein ca. 10 cm langes Stück der Naht zum Wenden geöffnet lassen. Überstehendes Thermolam bis knapp an die Naht zurückschneiden. Die Nahtzugabe des Stoffes an den Ecken zurückschneiden und in den Rundungen bis an die Naht einschneiden. Set wenden und die Ecken herausarbeiten. Restliche Naht von Hand schließen und rundum knappkantig absteppen.

Zweites Set genauso arbeiten.

Servietten

Größe: 40 x 40 cm

Material für zwei Servietten:
50 cm orangefarbener Stoff
Reste von gelbem Stoff
Vliesofix
Stickvlies

Bitte lesen Sie vorher Grundkurs »Maschinenapplikation«, Seite 39

So wird's gemacht

Aus dem orangefarbenen Stoff zwei Quadrate von 44 x 44 cm ausschneiden. An den vier Außenkanten den Stoff 2 mal jeweils 1 cm nach innen klappen und knappkantig feststeppen.

Die Vorlage für das kleine Tulpenmotiv von Seite 45 kopieren. An jeder Serviette in eine Ecke eine Tulpe aus gelbem Stoff als Maschinenapplikation anbringen.

Sets mit Biese

Größe: 32 x 42 cm

Material für zwei Sets:
50 cm grün-melierter Stoff
40 cm karierter Stoff mit eingewebtem Tulpenmotiv
(Der Stoffverbrauch für die Blende mit eingewebtem Tulpenmotiv ist hierbei relativ hoch, da sich das Motiv nur in bestimmten Abständen auf dem Karostoff befindet.)

Bitte lesen Sie vorher Schritt-für-Schritt-Anleitung »Angeschnittene Blende mit Biese«, Seite 10

So wird's gemacht

Aus dem grün-melierten Stoff zwei Teile von 40 x 50 cm zuschneiden. Für die Biese mit Tulpen werden 10 cm breite Streifen benötigt, bei denen sich das eingewebte Tulpenmotiv in der Mitte des Streifens befindet. Dafür zuerst vier Streifen schneiden, bei denen das Tulpenmotiv senkrecht verläuft. Diese Streifen auf 36 cm Höhe kürzen. Anschließend zwei Streifen, bei denen das Tulpenmotiv waagerecht verläuft zuschneiden. Aus diesen beiden, jeweils ca. 100 cm langen Streifen insgesamt vier Stücke von 46 cm Länge schneiden. Dabei darauf achten, dass die Lage des Motivs bei allen Stücken gleich ist.

Um das Tulpenmotiv bei allen vier pro Set benötigten Biesenstreifen in der gleichen Laufrichtung zu erhalten, muss jeder einzelne Biesenstreifen, der später sichtbar 1,5 cm breit ist, von unterschiedlichen Seiten umbügelt werden. Die Bügelkante selbst ist später die innere Kante der Biese. Dabei darauf achten, dass das eingewebte Tulpenmotiv auf der Vorderseite des Streifens komplett erscheint. Vom Stoffbruch aus gemessen die Streifen auf eine Breite von 2,25 cm zurückschneiden.

Die so gefertigten Biesen füßchenbreit an die Außenkante der Sets annähen; dabei die Biese jeweils 2 cm vor der Ecke beginnen und enden lassen. Die Schauseite der Biese mit dem

Tulpenmotiv liegt dabei auf der linken Seite des Sets. Nach dem Annähen die Nahtzugabe zum Set hin bügeln. Von der Naht aus eine Linie im Abstand von 3 cm an allen vier Außenkanten markieren. Den Stoff entlang dieser markierten Linie zur Vorderseite bügeln und wie auf Seite 9 beschrieben fertigstellen. Die Blende entlang der Biese feststeppen.

Foto-Nähkurs: Einfassen mit Schrägband

Diese Art der Einfassung eignet sich besonders für Rundungen, wie bei runden oder ovalen Tischdecken. Sie kann aber auch bei geraden Kanten verwendet werden.

1 Das vorgefalzte Schrägband an einer Seite aufklappen und an die Außenkante auf die rechte Seite des Stoffes stecken.

2 Schrägband sehr knapp neben der gebügelten Falzung annähen.

3 Schrägband auf die Rückseite des Stoffes klappen und mit Stecknadeln fixieren. Mit diesen Stecknadeln kontrollieren, ob auch das Schrägband auf der Rückseite mitgefasst wird.

4 Knappkantig aufsteppen, dabei Vorder- und Rückseite mitfassen.

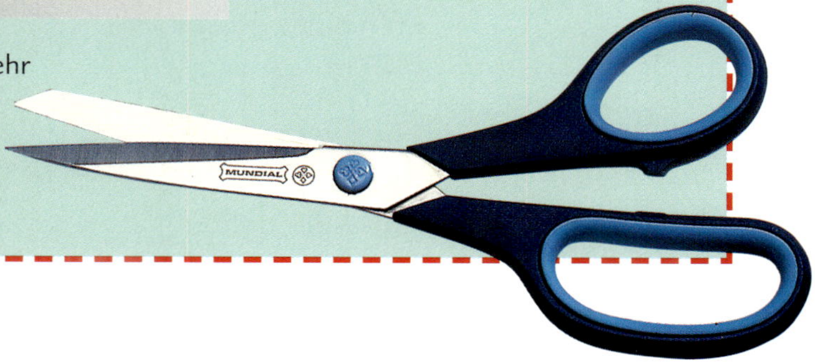

Herziges zum Muttertag

Unterdecke

Größe: 1,40 x 1,80 m

Material:
2,00 m roter Stoff
1,95 m rot-weiß karierter Stoff
(Für die Blenden wurde nur ein Teil des karierten Stoffes benötigt, der Rest wurde für die Servietten verwendet.)

Bitte lesen Sie vorher Foto-Nähkurs »Aufgesetzte Blenden«, Seite 10, sowie die Hinweise für »Aufgesetzte Blenden aus kariertem Stoff«, Seite 12

So wird's gemacht

Aus dem karierten Stoff fadengerade, entlang des Musterverlaufs und parallel zur Webkante vier Streifen von 11,5 cm Breite zuschneiden. Nach dem Markieren und Bügeln der inneren Blendenkante für die längeren Seiten der Decke zwei Streifen auf 183,5 cm kürzen. Für die kürzeren Seiten zwei Streifen auf 143,5 cm kürzen. Dabei darauf achten, dass an allen vier Streifen die Karos an beiden Schmalseiten gleich beginnen und enden. Gegebenenfalls die oben angegebenen Längenmaße dem Karomuster anpassen.

Die Ecken im 45°-Winkel abschrägen, den Blendenrahmen nähen und auf den roten Stoff stecken. Erst danach den roten Stoff passend zum Rahmen zuschneiden. Fertigstellen, wie im Lehrgang beschrieben.

Mitteldecke mit Briefecken

Größe: 80 x 80 cm

Material:
0,60 m rot-weiß karierter Stoff für das Mittelteil (großes Karo)
0,90 m weißer Stoff, inclusive Rückseitenstoff
0,20 m roter Stoff
0,10 m roter Stoff mit schmalen Streifen
0,10 m roter Stoff mit breiten Streifen
0,10 m rot-weiß gestreifter Stoff
0,10 m rot-weiß karierter Stoff (kleines Karo)
Vliesofix
roter Sticktwist, z.B. von Madeira

Bitte lesen Sie vorher Foto-Nähkurs »Briefecke«, Seite 22

So wird's gemacht

Für das Mittelteil aus dem rot-weiß karierten Stoff fadengerade, entlang des Musterverlaufs, ein Quadrat von 55,5, x 55,5 cm zuschneiden. Aus dem roten Stoff vier Streifen von 3,5 cm Breite und ca. 90 cm Länge schneiden. Aus dem weißen Stoff für die Rückseite ein Quadrat von 85 x 85 cm schneiden und beiseite legen. Aus dem restlichen weißen Stoff vier Streifen von 12,5 cm Breite schneiden.

Jeweils einen roten und einen weißen Streifen längs füßchenbreit aneinandernähen. An jede Seite des karierten

Mittelquadrates jeweils eines dieser Streifensets annähen. Der rote Streifen liegt dabei innen. Die vier Ecken als Briefecken arbeiten.

Die Vorlage für das große Herz von Seite 46 kopieren. Dieses Herz 16 mal auf Vliesofix übertragen. Herzmotive aus Vliesofix ausschneiden und jeweils vier Stück auf die Rückseiten der unterschiedlich gemusterten Stoffe aufbügeln. Dabei darauf achten, dass die Muster der Herzen aus dem gleichen Stoff identisch verlaufen. Die Herzen ausschneiden und gleichmäßig verteilt auf dem weißen Rand aufbügeln (Anordnung siehe Schemazeichnung). Der Abstand der oberen Herzkante zum roten Rand beträgt dabei 1,5 cm.

Die Herzen mit 3-fädigem roten Sticktwist (= geteilter 6-fädiger Sticktwist) mit Schlingstichen umstechen (siehe Foto). Dafür jeden Einstich direkt an der Herzkontur beginnen, ca. 0,5 cm innerhalb des Herzens ausstechen, die Nadel durch die entstandene Schlinge zurückführen und den Faden anziehen. So entsteht ein Schlingenrand. Wenn das komplette Herz umrandet ist, den Faden auf der Rückseite vernähen.

Die fertige Vorderseite der Tischdecke rechts auf rechts auf den bereits zugeschnittenen Rückseitenstoff stecken. Ringsherum füßchenbreit zusammennähen, dabei an einer Seite der Naht ca. 15 cm zum Wenden geöffnet lassen. Überstehenden Rückseitenstoff und die Nahtzugabe in den Ecken zurückschneiden. Decke wenden, die Ecken herausarbeiten und die restliche Naht von Hand schließen. Entlang der Streifen die Tischdecke absteppen.

Herzförmige Anhänger

Größe: 7 x 5 cm

Material:
Reste von roten oder gemusterten Stoffen
Volumenvlies
roter oder weißer Sticktwist, z.B. von Madeira
dünne, weiße Kordel

So wird's gemacht

Die Vorlage für das mittlere Herzmotiv von Seite 46 kopieren. Die Umrisse des Herzens auf die Rückseite des Stoffes übertragen und mit Nahtzugabe ausschneiden. Für die Rückseite ein entsprechend großes Stoffstück zuschneiden.

Vorder- und Rückseite des Herzens rechts auf rechts aufeinanderstecken. Ein ca. 15 cm langes Stück Kordel als Aufhänger dazwischenlegen. Beide Teile auf ein ausreichend großes Stück Volumenvlies stecken. Alle drei Lagen entlang der markierten Linie zusammennähen, dabei ein Stück der Naht zum Wenden geöffnet lassen. Überstehendes Volumenvlies bis knapp an die Naht zurückschneiden. Die Nahtzugabe des Stoffes, besonders im Bereich der Rundungen, mehrfach bis an die Naht einschneiden. Herz wenden, die Spitze herausarbeiten und die restliche Naht von Hand schließen. Herz mit Sticktwist in Schlingstichen umstechen (Anleitung siehe unter »Mitteldecke mit Briefecken«). An den Ecken der Mitteldecke befestigen oder nach Wunsch als Tischdekoration verwenden.

Servietten

Größe: 45 x 45 cm

Material für vier Servietten:
1 m rot-weiß karierter Stoff (oder die Reste der Unterdecke)
Reste von rotem Stoff
Vliesofix
roter und weißer Sticktwist, z.B. von Madeira

So wird's gemacht

Aus dem karierten Stoff fadengerade entlang des Musterverlaufs vier Quadrate von 45 x 45 cm schneiden. Alle vier Servietten mit rotem Sticktwist in Schlingstichen umstechen (Anleitung und Foto siehe unter »Mitteldecke mit Briefecken«).

Die Vorlage für das kleine Herzmotiv von Seite 46 kopieren. Herz 4 mal auf Vliesofix übertragen und auf die Rückseite des roten Stoffes aufbügeln. Herzmotive ausschneiden und jeweils in einer Ecke jeder Serviette aufbügeln. Die Herzen mit 3-fädigem weißen Sticktwist (= geteilter 6-fädiger Sticktwist) mit Schlingstichen umstechen.

Set mit Herzen

Größe: 35 x 45 cm

Material für zwei Sets:
40 cm rot-weiß karierter Stoff
50 cm weißer Stoff (incl. Rückseitenstoff)
10 cm roter Stoff
Reste von rot gestreiftem und rot-weiß gestreiftem Stoff
50 cm Thermolam
4 m rotes Schrägband
Vliesofix
roter Sticktwist, z.B. von Madeira

Bitte lesen Sie vorher Foto-Nähkurs »Einfassen mit Schrägband«, Seite 17

So wird's gemacht

Aus dem rot-weiß karierten Stoff fadengerade, entlang des Musterverlaufs, zwei Quadrate von 35 x 35 cm zuschneiden. Aus dem roten Stoff einen 3,5 cm breiten Streifen zuschneiden. Aus dem weißen Stoff zwei 9,5 cm breite Streifen parallel zur Webkante schneiden. Jeweils an eine Seite der karierten Quadrate zuerst einen roten, dann einen weißen Streifen füßchenbreit annähen.

Die Vorlage für das kleine Herzmotiv von Seite 46 kopieren und 10 mal auf Vliesofix übertragen. Herzmotive ausschneiden und je fünf Herzen auf die Rückseiten der beiden unterschiedlich gemusterten Stoffreste aufbügeln. Dabei darauf achten, dass die Muster der Herzen aus dem gleichen Stoff identisch verlaufen. Die Herzen ausschneiden und gleichmäßig verteilt auf den weißen Streifen aufbügeln. Die Herzen mit 3-fädigem roten Sticktwist (= geteilter 6-fädiger Sticktwist) mit Schlingstichen umstechen (Anleitung und Foto siehe unter »Mitteldecke mit Briefecken«).

Thermolam und Rückseitenstoff etwas größer als die beiden Vorderteile zuschneiden. Zuerst den Rückseitenstoff auslegen, rechte Seite nach unten, darauf Thermolam und darauf die Vorderseite des Sets, rechte Seite nach oben. Alle drei Lagen mit Sicherheitsnadeln zusammenstecken. Parallel zu den Streifen und innerhalb des karierten Stoffes im diagonalen Muster absteppen. Thermolam und Rückseitenstoff auf die Maße der Vorderseite zurückschneiden und die beiden Sets mit Schrägband einfassen.

Foto-Nähkurs: Briefecke

Besonders im Bereich der Tischwäsche wirken exakt gearbeitete Briefecken sehr dekorativ. Zur Berechnung der Breite der Randstreifen wird zur gewünschten fertigen Breite 1,5 cm Nahtzugabe addiert.

Die Streifenlänge wird wie folgt berechnet:
Kantenlänge, an der die Randstreifen angenäht werden sollen
+ 2 mal die gewünschte Breite des Randes
+ 10 cm Sicherheitszuschlag

Die Berechnung gilt auch für Streifensets, die aus verschiedenfarbigen Streifen zusammengesetzt worden sind (siehe Tischdecke, Seite 28). Das Streifenset wird dabei wie ein normal zugeschnittener Stoffstreifen behandelt und komplett zur Briefecke verarbeitet.

1 Am Innenteil mit Hilfe eines Lineals den Eckpunkt der Naht markieren. Die beiden Nahtlinien befinden sich dabei genau 0,75 cm von der äußeren Kante entfernt und kreuzen sich im Eckpunkt im rechten Winkel.

2 Die vier Randstreifen füßchenbreit an die Außenkante des Stoffes, genau bis zum Eckpunkt, annähen. Nahtanfang und -ende mit einigen Stichen verriegeln. Dabei darauf achten, dass jeder Streifen an beiden Seiten gleich lang übersteht.

3 Die Randstreifen in einem 45°-Winkel aneinanderlegen, indem der überstehende Stoff nach unten eingeschlagen wird.

4 Den Winkel mit Hilfe des Lineals überprüfen. Dazu die 45°-Markierung des Schneidelineals auf die äußere Stoffkante legen. Anschließend die Briefecke in Form bügeln.

5 Überstehenden Stoff auf der Rückseite der angesetzten Randstreifen bis auf ca. 1 cm Nahtzugabe zurückschneiden. Die Randstreifen rechts auf rechts legen und auf der gebügelten Linie mit Stecknadeln feststecken; dabei den Sitz nochmals überprüfen.

6 Vom Eckpunkt aus beginnend die gesteckte Naht mit großen Stichen nähen. Erst, wenn alle vier Briefecken perfekt sitzen und der Rand nicht wellt, die Nähte mit kleinen Stichen nachnähen. Dabei Nahtanfang und -ende mit einigen Stichen verriegeln. Die Nahtzugaben auseinanderlegen.

Tipp

Bei Rändern aus gestreiften Stoffen muss bei allen vier Randstreifen die Lage der Längsstreifen exakt übereinstimmen, damit sich die Längsstreifen in den Ecken auch exakt treffen (siehe Seite 12).
Bei Rändern aus karierten Stoffen (siehe Seite 12) muss ebenfalls die Lage der Längsstreifen exakt übereinstimmen. Zusätzlich muss beim Annähen der Randstreifen darauf geachtet werden, dass jeweils an allen vier Eckpunkten der Naht das Karomuster identisch endet und beginnt.

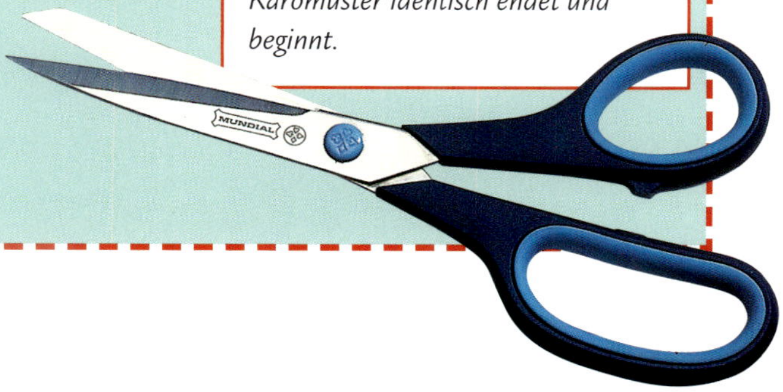

Lust auf Meer

Unterdecke mit Bogenkante

Größe: 1,45 x 2,13 m

Material:
2,20 m blau-naturfarben karierter Stoff
9,00 m helles, naturfarbenes Schrägband

Bitte lesen Sie vorher Foto-Nähkurs »Einfassen mit Schrägband«, Seite 17

So wird's gemacht

Die Vorlage für die Welle von Seite 46 kopieren und aus Pappe als Schablone nacharbeiten. Den karierten Stoff der Länge nach zur Hälfte falten. Die Umrisse der Wellenform auf den Stoff übertragen: Dazu die Schablone mit der gestrichelten Linie exakt an den Ansatz des Stoffbruches anlegen; die Oberkante der Welle muss dabei bis knapp an das Stoffende heranzeigen. Die umlaufende Wellenlinie durch Verschieben der Schablone anzeichnen und mit einer Schere ausschneiden. Die Schemazeichnung zeigt Anzahl und Verlauf der Wellen. Anschließend den Stoff auseinanderfalten und den Rand mit Schrägband einfassen.

Tipp

Kerzen – ob modern in Windlichtern oder klassisch in Kerzenständern – verleihen einem liebevoll gedeckten Tisch ein warmes und gemütliches Ambiente und runden das Gesamtbild ab. Eine Variante bieten Teelichter, zum Beispiel auf Vogelsand in großen Muschelschalen arrangiert, oder auch Schwimmkerzen zwischen frischen Blüten in einer dekorativen Glasschale. Mit Kerzen-Gel und eingegossenen Streuteilen lassen sich zur Tafel passende, kleine Kunstwerke zaubern. Einen besonderen Blickfang bieten natürlich selbst gegossene oder individuell verzierte Kerzen.

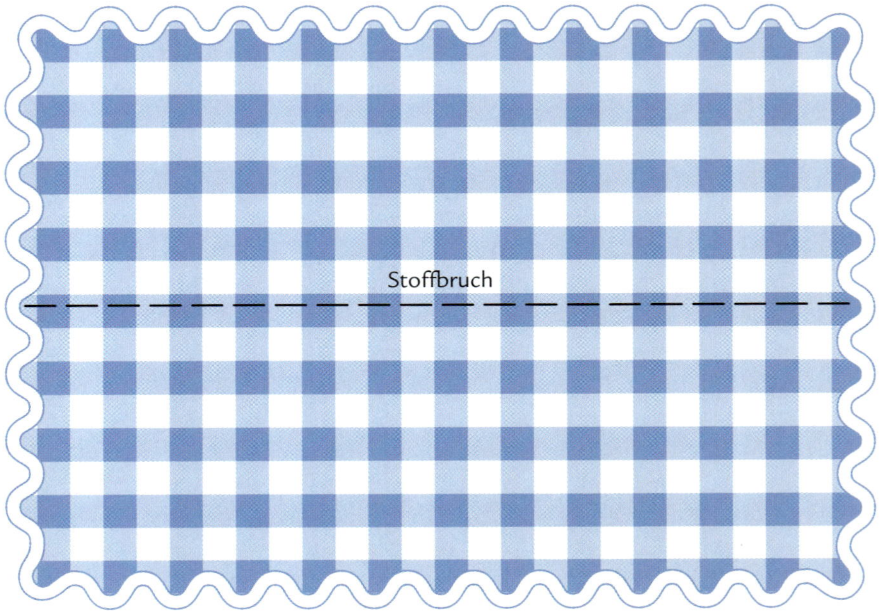

Menue

Rebecca
Carina

Sets in Muschelform

Größe: 35 x 42 cm

Material für vier Sets:
1,35 m heller naturfarbener Stoff
0,80 m Thermolam

So wird's gemacht

Die Vorlage für die Muschel von Seite 48 auf dem Kopierer mit dem Vergrößerungsfaktor 141 % kopieren und an der gestrichelten Linie am Stoffbruch anlegen. Für vier Sets aus dem naturfarbenen Stoff 8 mal die Muschel ausschneiden. Jeweils ein Vorder- und ein Rückenteil rechts auf rechts stecken. Beide Teile zusammen auf ein entsprechend großes Stück Thermolam stecken und ringsherum füßchenbreit zusammennähen. Dabei ein Stück der Naht zum Wenden geöffnet lassen. Überstehendes Thermolam bis knapp an die Naht zurückschneiden. Die Nahtzugabe des Stoffes an den Ecken zurückschneiden und in den Rundungen bis an die Naht einschneiden.
Sets wenden und die Ecken herausarbeiten. Die restliche Naht von Hand schließen. Die Stepplinien entsprechend der Vorlage einzeichnen und absteppen.

Servietten und Serviettenringe

Größe: 40 x 40 cm

Material für vier Servietten:
1,10 m blauer Stoff
1,60 m naturfarbene Kordel
8 kleine Muscheln

Bitte lesen Sie vorher Foto-Nähkurs »Angeschnittene Blende mit Briefecke«, Seite 9

So wird's gemacht

Für die Servietten vier Quadrate von 50 x 50 cm zuschneiden. Für den Einschlag an den vier Außenkanten jeweils eine Linie im Abstand von 1 cm zur Kante markieren. Von dieser Markierung aus eine zweite Linie im Abstand von 5 cm für die Blende markieren. Die Blende arbeiten, wie auf Seite 9 beschrieben.

Für die Serviettenringe jeweils ein Stück Kordel von ca. 40 cm Länge zu einem Ring verknoten. Die beiden Enden der Kordel ebenfalls mit einem Knoten versehen und darauf jeweils zwei Muscheln kleben.

Tipp

Den Stoff, der beim Zuschnitt der Servietten seitlich übrig bleibt (ungefähr ein Stück von 50 x 110 cm), können Sie locker in die Mitte des Tisches drapieren. Zuvor sollten Sie allerdings die Kanten versäubern. Dieses Stück Stoff eignet sich dann als Untergrund für maritime Dekoration wie Sand, Muscheln, Seesterne, Fische oder Vögel. Die Menuekarte und die Platzkärtchen bestehen aus Fotokarton, auf den blaues Naturpapier, Juteband, Kordelreste und kleine Muscheln aufgeklebt wurden.

Die Farben des Sommers

Tischdecke mit Briefecken

Größe: 1,10 x 1,10 m

Material:
1,85 m blauer Stoff (incl. Rückseitenstoff)
0,20 m gelber Stoff
0,15 m roter Stoff
1,10 m karierter Stoff

Bitte lesen Sie vorher Foto-Nähkurs »Briefecke«, Seite 22 sowie die Hinweise für Briefecken aus kariertem Stoff, Seite 23

So wird's gemacht

Folgende Teile zuschneiden:
aus dem blauen Stoff:
- ✓ ein Quadrat von 115 x 115 cm und für die Rückseite beiseite legen
- ✓ ein Quadrat von 61,5 x 61,5 cm für die Mitte der Vorderseite

aus dem gelben Stoff:
- ✓ vier Streifen von 3,5 cm Breite über die gesamte Stoffbreite

aus dem roten Stoff:
- ✓ vier Streifen von 2,5 cm Breite über die gesamte Stoffbreite

aus dem karierten Stoff:
- ✓ vier Streifen von 23,5 cm Breite über die gesamte Stoffbreite, dabei auf einen identischen Karoverlauf innerhalb der Streifen achten.

Jeweils einen gelben, einen roten und einen karierten Streifen längs füßchenbreit aneinandernähen. An jede Seite des blauen Mittelquadrates jeweils eines dieser vier Streifensets annähen. Der gelbe Streifen liegt dabei innen. Die vier Ecken als Briefecken arbeiten.

Die fertige Vorderseite der Tischdecke rechts auf rechts auf den bereits zugeschnittenen Rückseitenstoff stecken. Ringsherum füßchenbreit zusammennähen, dabei an einer Seite der Naht ca. 15 cm zum Wenden geöffnet lassen. Überstehenden Rückseitenstoff und die Nahtzugabe in den Ecken zurückschneiden. Decke wenden, die Ecken herausarbeiten und die restliche Naht von Hand schließen. Entlang der Streifen die Tischdecke absteppen.

Servietten mit bunten Blenden

Größe: 45 x 45 cm

Material für vier Servietten:
1,00 m karierter Stoff
0,15 m blauer Stoff
0,15 m roter Stoff
0,15 m gelber Stoff
0,15 m orangefarbener Stoff

Bitte lesen Sie vorher Foto-Nähkurs »Aufgesetzte Blenden«, Seite 10

So wird's gemacht

Aus dem karierten Stoff fadengerade, entlang des Musterverlaufs, vier Quadrate von 46,5 x 46,5 cm zuschneiden. Aus jedem der vier unifarbenen Stoffe über die gesamte Stoffbreite zwei Streifen von 5,5 cm Breite schneiden. Jeden Streifen in zwei Abschnitte von ca. 51 cm Länge teilen. Es ergeben sich so von jeder Farbe vier Streifen für eine Blende.

Nach dem Markieren und Bügeln der inneren Blendenkante die Streifen auf eine exakte Länge von 48,5 cm kürzen und die Ecken im 45°-Winkel schneiden. Aus jeder Farbe einen separaten Blendenrahmen nähen und auf die Serviette aufnähen.

Japanisch schlicht und edel

Unterdecke aus grauem Leinen

Größe: 1,40 x 1,80 m

Material:
2,00 m hellgraues Leinen
7,00 m hellgraues Satinband, Breite 0,7 bis 1 cm

Bitte lesen Sie vorher Foto-Nähkurs »Angeschnittene Blende mit Briefecke«, Seite 9

So wird's gemacht

Aus dem Leinenstoff ein Rechteck von 147 x 187 cm zuschneiden. Ringsherum einen Saum von 3,5 cm Breite markieren und zur Vorderseite bügeln. Die Ecken nähen, wie im Lehrgang beschrieben. Den Saum heften oder mit Stecknadeln fixieren, der innere Blendensaum wird hier nicht eingeklappt, sondern mit dem Satinband abgedeckt. Das hellgraue Satinband in einem Stück rundum aufnähen, sodass die offenen Stoffkanten fixiert werden. In den Ecken das Satinband so falten, dass ein rechter Winkel entsteht.

Mitteldecke aus Seide

Größe: 1,10 x 1,10 m

Material:
1 m Satin-Dévoré, Stoffbreite 1,12 m
1 m Viskose Seiden-Satin, Stoffbreite 1,40 m

Bitte lesen Sie vorher Schritt-für-Schritt-Anleitung »Angesetzte doppelte Blende«, Seite 13

So wird's gemacht

Aus dem Satin-Dévoré für das Mittelteil ein Quadrat von 91,5 x 91,5 cm zuschneiden. Auf der Rückseite die Nahtpunkte markieren (siehe Foto 1, Seite 22). Aus dem Seiden-Satin über die gesamte Stoffbreite vier Streifen von 21,5 cm Breite schneiden.

Die Streifen der Länge nach zur Hälfte bügeln und dann auf eine exakte Länge von 112 cm kürzen. Die Ecken jeweils gegengleich im 45°-Winkel abschrägen, sodass ein Trapez entsteht. Die Blende fertigstellen, wie im Lehrgangsteil beschrieben.

Tipp

Seide muss vor der Verarbeitung unbedingt gewaschen werden, da sie stärker einläuft als andere Stoffe. Durch eine Behandlung mit Wäschestärke wird die Seide fester im Griff und lässt sich somit leichter verarbeiten.

Herbstliches Flair

Tischläufer-Duo

Größe: 0,50 x 2,00 m und 0,50 x 1,50 m

Material für beide Läufer:
1,95 m karierter Stoff in Blau-Natur
0,25 m naturfarbener Stoff
2,10 m blau-melierter Stoff (incl. Rückseitenstoff)

Bitte lesen Sie vorher Kapitel »Tischläufer«, Seite 8

So wird's gemacht

Aus dem karierten Stoff fadengerade, entlang des Musterverlaufs, zwei Streifen von 38,5 cm Breite parallel zur Webkante schneiden. Für den längeren Tischläufer den Streifen auf 1,85 m Länge, für den kürzeren auf 1,35 m kürzen. Die Spitzen zuschneiden, wie auf Seite 8 beschrieben.

Aus dem naturfarbenem Stoff sechs Streifen von 3,0 cm Breite schneiden, dabei für den längeren Tischläufer zweimal zwei Streifen aneinandersetzen. Aus dem blau-melierten Stoff parallel zur Webkante fünf Streifen von 6,5 cm Breite schneiden. Naturfarbene und blau-melierte Streifen gemäß der in der Schemazeichnung angegebenen Reihenfolge füßchenbreit an das karierte Mittelteil nähen. Dafür die jeweiligen Streifen etwas länger als benötigt zuschneiden, füßchenbreit an die entsprechende Kante nähen und umbügeln.

Die beiden Rückenteile aus dem blaumelierten Stoff etwas größer als die beiden Vorderteile zuschneiden. Jeweils Vorder- und Rückteil rechts auf rechts stecken und ringsherum füßchenbreit zusammennähen. Bei jedem Läufer an einer Seite der Naht ca. 15 cm zum Wenden geöffnet lassen. Überstehenden Rückseitenstoff und die Nahtzugabe in den Ecken zurückschneiden. Läufer wenden, die Ecken herausarbeiten und die restlichen Nähte beider Läufer von Hand schließen. Entlang der Streifen die Tischläufer absteppen.

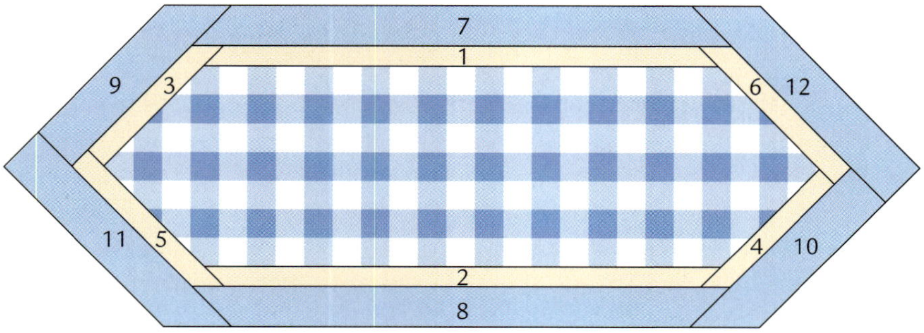

Servietten

Größe: 45 x 45 cm

Material für vier Servietten:
1,00 m schmal gestreifter Stoff in Blau-Natur
0,55 m breit gestreifter Stoff in Blau-Natur
Naturbast

Bitte lesen Sie vorher Foto-Nähkurs »Aufgesetzte Blenden«, Seite 10, sowie die Hinweise für »Aufgesetzte Blenden aus gestreiftem Stoff«, Seite 12

So wird's gemacht

Aus dem schmal gestreiften Stoff fadengerade, entlang des Musterverlaufs, vier Quadrate von 46,5 x 46,5 cm zuschneiden. Aus dem breit gestreiften Stoff, parallel zur Webkante, 16 Streifen von 6 cm Breite schneiden; dabei darauf achten, dass die Lage der Längsstreifen auf allen 16 Streifen übereinstimmt. Nach dem Markieren und Bügeln der inneren Blendenkante die Streifen auf die exakt benötigte Länge von 48,5 cm kürzen und die Ecken im 45°-Winkel schneiden. Aus jeweils vier Streifen einen separaten Blendenrahmen nähen. Beim Zusammennähen jeder Ecke beachten, dass sich die Längsstreifen jeweils exakt treffen. Anschließend die Rahmen auf die Servietten aufnähen.

Die Servietten rollen und mit Naturbast als Serviettenring zusammenbinden.

Natur pur

Unterdecke

Größe: 1,46 x 2,50 m, oval

Material:
2,60 m heller Stoff
8,50 m helles Schrägband

Bitte lesen Sie vorher Kapitel »Ovale Tischdecken«, Seite 8 sowie Foto-Nähkurs »Einfassen mit Schrägband«, Seite 17

So wird's gemacht

Ein Rechteck von 146 x 250 cm zuschneiden. Den Stoff quer zur Hälfte doppelt legen. Gemäß der Anleitung im Lehrgangsteil die Rundung markieren und ausschneiden. Den Stoff auseinanderklappen und mit Schrägband einfassen.

Mitteldecke aus Jacquardstoff

Größe: 1,10 x 1,10 m

Material:
1,20 m Jacquard mit eingewebten Blättern
1,20 m Volumenvlies
1,20 m Rückseitenstoff
5,00 m helles, naturfarbenes Schrägband

Bitte lesen Sie vorher Grundkurs »Freies Maschinenquilten«, Seite 36 sowie Foto-Nähkurs »Einfassen mit Schrägband«, Seite 17

So wird's gemacht

Den Jacquardstoff mit den eingewebten Blättern zu einem Quadrat von 110 x 110 cm schneiden. Das Volumenvlies und den Rückseitenstoff etwas größer zuschneiden. Zuerst den Rückseitenstoff auslegen, rechte Seite nach unten, darauf das Vlies und darauf den Jacquardstoff, rechte Seite nach oben. Alle drei Lagen mit Sicherheitsnadeln zusammenstecken. Zuerst entlang der Blattkonturen quilten und dann die Zwischenräume »stippeln«. Für beides wird das freie Maschinenquilten angewendet. Nach dem Quilten Vlies und Rückseitenstoff auf die Maße des Jacquardstoffes zurückschneiden und eine Endeinfassung aus Schrägband anbringen.

Servietten und Serviettenringe

Größe: 50 x 50 cm

Material für vier Servietten:
1,15 m heller Stoff
Reste des entsprechenden Jacquardstoffes
4 Hirschhornknöpfe
8 kleine Kordelstopper
60 cm Kordel

So wird's gemacht

Für die Servietten aus dem Stoff vier Quadrate von 54 x 54 cm schneiden. An den vier Außenkanten den Stoff zweimal jeweils 1 cm nach innen klappen und knappkantig festnähen.

Für die Serviettenringe aus dem Jacquardstoff acht Streifen von 6,5 cm Breite und 21,5 cm Länge zuschneiden. Diese Teile jeweils längs zur Hälfte legen und ein Ende im 45°-Winkel, beginnend vom Stoffbruch, abschrägen. Die acht Streifen auseinanderklappen. Jeweils zwei Teile rechts auf rechts aufeinanderstecken und ringsherum füßchenbreit zusammennähen. An einer Längsseite ein Stück der Naht zum Wenden geöffnet lassen. Die Nahtzugabe in den Ecken zurückschneiden, den Stoff wenden, die Ecken herausarbeiten und die restliche Naht von Hand schließen.

Die Stoffstreifen zum Ring legen, sodass die Spitze oben liegt und mit einigen Stichen befestigen. Die Kordel in vier Stücke zu 15 cm Länge teilen. Jeweils ein Stück Kordel durch die beiden Löcher in den Knöpfen ziehen und verknoten. An jedes Ende der Kordel einen Kordelstopper anbringen. Den so verzierten Knopf mit einigen Stichen auf dem Serviettenring befestigen.

Grundkurs: Freies Maschinenquilten

Der Begriff »Quilten« ist der englische bzw. amerikanische Ausdruck für steppen. Gequiltet wurden ursprünglich hauptsächlich Patchworkdecken, die üblicherweise aus drei Lagen bestehen: Vorderseite, Volumenvlies und Rückseite. Die dicke, mittlere Lage aus Volumenvlies lässt die Steppnähte plastisch erscheinen. Wurde früher ausschließlich mit der Hand gequiltet, so erfolgt dies heute mehr und mehr mit der Nähmaschine.

Die Besonderheit beim freien Maschinenquilten besteht darin, dass beim Nähen der Transporteur versenkt wird. Dadurch erreichen Sie, dass nicht die Nähmaschine die Nährichtung bestimmt, sondern der Stoff frei in alle Richtungen geführt werden kann. Besonders interessant ist diese Technik, wenn innerhalb einer Nählinie häufig die Richtung geändert wird oder enge Kurven genäht werden sollen, wie das beim Mäanderquilten, auch »Stippling« genannt, der Fall ist. Die Hände liegen dabei auf dem Stoff und führen ihn. Wenn Sie sich häufiger dieser Technik bedienen oder besonders große Modelle stippeln wollen, sind Quilthandschuhe eine große Hilfe. Diese aus Baumwolle bestehenden Handschuhe besitzen auf der Innenseite kleine Gumminoppen, die einen festen Griff des Stoffes erlauben.

Um ein Gefühl für die Technik zu bekommen, ist es empfehlenswert, zuerst an kleinen Probestücken zu üben, bevor an größeren Stücken gearbeitet wird.

Zum freien Maschinenquilten richten Sie die Nähmaschine wie zum Stopfen ein, beachten Sie dabei die Bedienungsanleitung der eigenen Maschine:

- ✓ Transporteur versenken
- ✓ Stopffuß einsetzen
- ✓ Nähfußheber in die entsprechende Position bringen
- ✓ Oberflächenspannung der Maschine etwas lockern

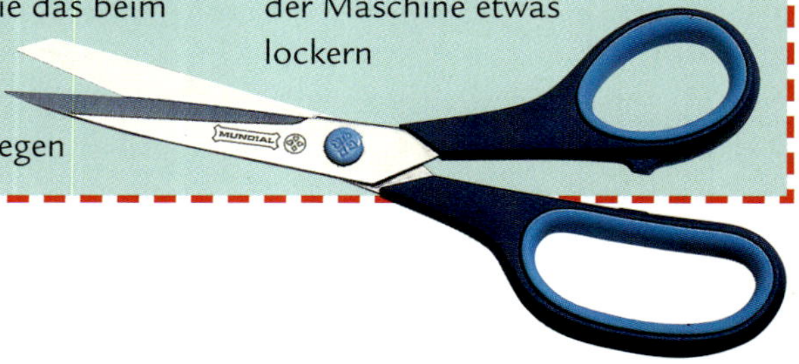

Tannenbäume zum Advent

Unterdecke

Größe: 1,46 x 2,00 m

Material:
2,10 m rot-grün karierter Stoff mit eingewebten Tannenbäumen
2,15 m grün-melierter Stoff
(Für die grün-melierte Blende wurde nur ein Teil des Stoffes benötigt, der Rest wurde für den Tischläufer und die Servietten verwendet.)

Bitte lesen Sie vorher Foto-Nähkurs »Aufgesetzte Blenden«, Seite 10

So wird's gemacht

Aus dem karierten Stoff fadengerade, entlang des Musterverlaufs, ein Rechteck von 147,5 x 201,5 cm zuschneiden. Aus dem grün-melierten Stoff parallel zur Webkante vier Streifen von 12,5 cm Breite schneiden. Nach dem Markieren und Bügeln der inneren Blendenkanten zwei Streifen auf die exakte Länge von 203,5 und die anderen beiden Streifen auf 149,5 cm kürzen. Die Ecken im 45°-Winkel abschrägen. Die vier Streifen zu einem Rahmen zusammensetzen und auf die Tischdecke aufnähen.

Tischläufer

Größe: 0,40 x 1,60 m

Material:
0,25 m bordeauxroter Stoff
1,80 m grün-melierter Stoff (oder die Reste der Tischdeckenblende)
Reste von kariertem Stoff

Bitte lesen Sie vorher Foto-Nähkurs »Angeschnittene Blende mit Briefecke«, Seite 9, Schritt-für-Schritt-Anleitung »Angeschnittene Blende mit Biese«, Seite 10 sowie Grundkurs »Maschinenapplikation«, Seite 39

So wird's gemacht

Aus dem grün-melierten Stoff ein Rechteck von 52 x 172 cm schneiden. Aus dem bordeauxfarbenen Stoff für die Biese vier Streifen von 3,5 cm Breite über die gesamte Stoffbreite zuschneiden. Einen Streifen halbieren und für die beiden kurzen Seiten des Läufers verwenden. Einen weiteren

Streifen halbieren und jeweils mit einem übrigen Längsstreifen zusammensetzen; diese Streifen sind für die langen Seiten bestimmt.

Die beiden kurzen Biesenstreifen auf 48,0 cm kürzen, die beiden längeren auf 168 cm. Die Biesenstreifen der Länge nach links auf links zur Hälfte stecken und an den vier Außenkanten des Läufers füßchenbreit annähen. Dabei die Biese jeweils 2 cm vor der Ecke beginnen und enden lassen. Die Briefecken arbeiten, wie auf Seite 22 beschrieben. Die Blende entlang der Biese feststeppen.
Die Vorlage für die Tannenbäume von Seite 47 kopieren. Einen Tannenbaum aus kariertem Stoff und einen Tannenbaum aus bordeauxrotem Stoff als Maschinenapplikation anbringen.Die Karten aus Wellpappe wurden mit Naturpapier und kleinen Deko-Elementen verziert: Keramikknöpfen, einem Tannenbaum aus Minikieferngirlande, Bast und rotem Papierband.

Servietten

Größe: 42 x 42 cm

Material für vier Servietten:
0,95 m rot-grün karierter Stoff mit eingewebten Tannenbäumen
0,30 m bordeauxroter Stoff
0,40 m grün-melierter Stoff (oder die Reste der Tischdeckenblende)

Bitte lesen Sie vorher Foto-Nähkurs »Aufgesetzte Blenden«, Seite 10 sowie Schritt-für-Schritt-Anleitung »Aufgesetzte Blende mit Biese«, Seite 13

So wird's gemacht

Aus dem karierten Stoff fadengerade, entlang des Musterverlaufs, vier Quadrate von 43,5 x 43,5 cm zuschneiden. Aus dem grün-melierten Stoff sechs Streifen von 5,5 cm Breite über die gesamte Stoffbreite zuschneiden. Jeden Streifen in drei Abschnitte von ca. 48 cm teilen. So ergeben sich 18 Abschnitte, von denen später 16 benötigt werden. Aus dem bordeauxroten Stoff sechs Streifen von 3,5 cm Breite über die gesamte Stoffbreite schneiden. Ebenfalls in 16 Abschnitte mit 48 cm Länge teilen.

Die bordeauxroten Streifen der Länge nach zur Hälfte links auf links stecken und jeweils entlang einer grünen Blendenkante füßchenbreit annähen. Die Nahtzugabe zur Blende hin bügeln. Anschließend die so vorbereiteten Blendenstreifen auf die exakt benötigte Länge von 45,5 cm kürzen und die Ecken im 45°-Winkel abschrägen. Vier separate Blendenrahmen nähen und auf die Servietten aufnähen. Die Blenden entlang der Biesen feststeppen.
Wie Sie die Geschenkanhänger in Tannenbaumform nähen, erfahren Sie auf Seite 42 unter »Weihnachtliche Anhänger aus Stoff«.

Grundkurs: Maschinenapplikation

Eine einfache Nähtechnik ist die Maschinenapplikation. Generell werden bei dieser Technik die einzelnen Motivteile in der passenden Größe ohne Nahtzugabe zugeschnitten. Die dabei entstehenden offenen Stoffkanten werden mit einem dichten Zick-Zack-Stich vor dem Ausfransen geschützt. Die einzelnen Motive fixiert man mit Vliesofix, einer beidseitig klebenden Aufbügelhilfe, auf dem Untergrund.

1 Zuerst jedes Motiv seitenverkehrt auf Vliesofix übertragen.

2 Die Teile ausschneiden und auf die linke Seite des zu applizierenden Stoffes bügeln.

3 Den Stoff entlang des Vliesofix ausschneiden und das Trägerpapier entfernen.

4 Das Motiv an die gewünschte Stelle des Untergrundstoffes aufbügeln.

5 Danach die offenen Stoffkanten mit einem dichten Zick-Zack-Stich bedecken. Dabei sollten folgende Punkte beachtet werden:
- ✓ Applikationsfuß einsetzen.
- ✓ Die Stichlänge des Zick-Zack-Stiches möglichst dicht einstellen.
- ✓ Die Oberfadenspannung der Maschine etwas lösen.
- ✓ Farblich passendes Garn verwenden. (Beste Ergebnisse erzielen Sie mit Maschinenstickgarn, z.B. von *Madeira*.)
- ✓ Stickvlies unter den Trägerstoff legen. (Dies verhindert ein Verziehen des Stoffes beim Nähen.)
- ✓ Auf einem Probestück die Maschineneinstellung testen.

6 Nach Fertigstellung der Applikation das Stickvlies entfernen.

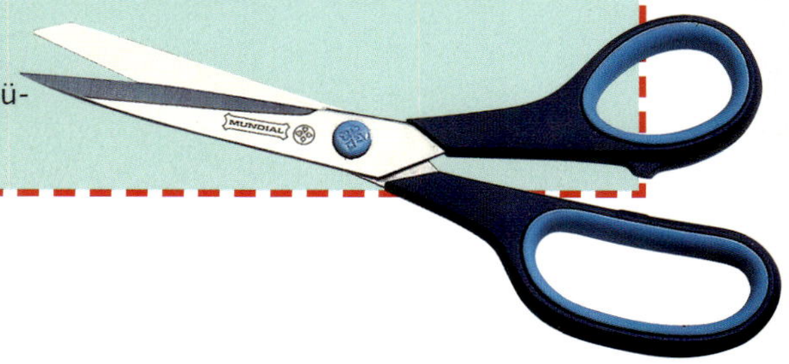

Gabentisch im Sternenglanz

Runde Decke mit Schleifen

Größe: 2,60 m Durchmesser

Material:
7,00 m heller naturfarbener Stoff mit Sternchen
9,00 m naturfarbenes Schrägband
1,00 m Volumenvlies, 1,50 m breit
12,00 m helles naturfarbenes Baumwollband, ca. 1 cm breit

Bitte lesen Sie vorher Foto-Nähkurs »Kappnaht«, Seite 44, Hinweise »Runde Tischdecken«, Seite 8 sowie Foto-Nähkurs »Einfassen mit Schrägband«, Seite 17

So wird's gemacht

Aus dem Stoff zwei Teile von 270 cm Länge über die gesamte Stoffbreite schneiden. Die Webkanten entfernen und die beiden Stoffstücke längs mit einer Kappnaht verbinden. Aus den so verbundenen Stoffteilen eine runde Decke von 260 cm Durchmesser zuschneiden (siehe Seite 8). Die Außenkante der Decke mit Schrägband einfassen.

Die Raffung der Decke erfolgt durch Stofftunnel, die auf der Rückseite der Decke angebracht sind. Der Stoff, der beim runden Zuschnitt der Decke abfällt, reicht für die Tunnel.
Für jeden Tunnel einen Streifen von 66 cm Länge und 8 cm Breite zuschneiden. Die obere und die untere Kante zweimal jeweils ca. 1 cm nach innen einschlagen und feststeppen. Die äußeren Längskanten jeweils ca. 1 cm nach innen bügeln. Die Tunnel werden gleichmäßig verteilt auf der Rückseite der Tischdecke festgesteckt. Dabei einen Abstand zum Rand von ca. 5 cm einhalten. Jeden Tunnel entlang der äußeren Längskanten aufnähen. Durch eine weitere Längsnaht in der Mitte des Tunnels entstehen zwei Fächer, durch die später das Band zur Raffung der Decke gezogen wird.

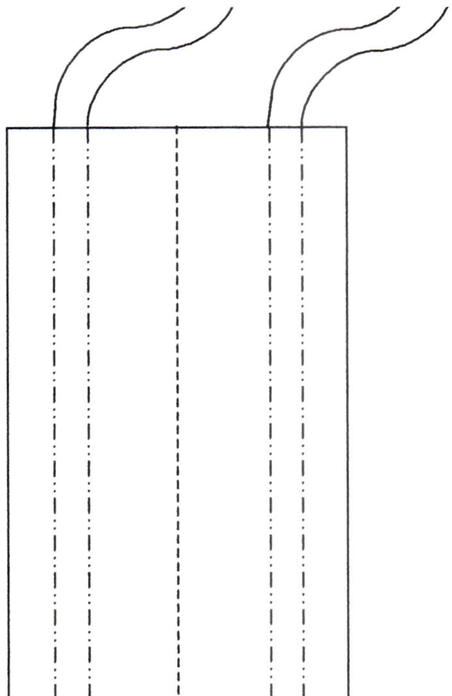

Aus dem Baumwollband acht Teile von je 150 cm Länge schneiden und von außen zur Mitte hin durch beide Tunnelhälften ziehen (siehe Zeichnung). Durch das Anziehen der Bänder wird die Decke gerafft. Die Raffung durch einen Schleifenknoten sichern. Zum Waschen und Bügeln der Decke lässt sich das Band dann einfach lösen.

Für jede Schleife zwei Stoffstreifen von 140 cm Länge und 17 cm Breite zuschneiden. Jeden Streifen der Länge nach doppelt legen und beide Enden im 45°-Winkel abschrägen, sodass ein Trapez entsteht (siehe Foto, Seite 8). Die Streifen auseinanderklappen, jeweils zwei Streifen rechts auf rechts legen und auf ein entsprechend großes Stück Volumenvlies stecken. Alle drei Lagen ringsherum füßchenbreit zusammennähen, dabei an einer Längsseite ca. 10 cm der Naht zum Wenden geöffnet lassen. Überstehendes Volumenvlies bis knapp an die Naht sowie die Nahtzugabe des Stoffes an den Ecken zurückschneiden. Den Streifen wenden, die Ecken herausarbeiten und die restliche Naht von Hand schließen.

Das fertige Band zu einer Schleife legen und mit einigen Handstichen fixieren. Den Bindepunkt mit einem Stoffstreifen verdecken. Dazu für jede Schleife einen Streifen von 8 cm Breite und 19 cm Länge zuschneiden und der Länge nach rechts auf rechts legen. Entlang der offenen Längsseite und an einer Schmalseite füßchenbreit zusammennähen. Das Band durch die offene Seite wenden und über den Kreuzungspunkt der Schleife legen. Auf der Rückseite mit einigen Stichen von Hand befestigen.

Mit einem Druckknopf oder einer Sicherheitsnadel an der Tischdecke befestigt, lassen die Schleifen sich zum Waschen einfach entfernen.

Tipp

Die Maße dieser Decke passen zu einem runden Tisch mit einem Durchmesser von 1,10 m. Bei vier Stühlen am Tisch empfehlen sich acht Raffungen, von denen jeweils vier zwischen den Sitzplätzen mit großen Schleifen versehen werden können. Bei einem Tisch mit sechs Stühlen ist es sinnvoll, sechs Raffungen zwischen den Sitzplätzen anzubringen und mit einer Schleife zu versehen.

Weihnachtliche Anhänger aus Stoff

Material:
Rest heller naturfarbener Stoff mit Sternchen
Rest rot-grün karierter Stoff
Rest grün-melierter Stoff
dickeres Volumenvlies
Band oder Kordel

So wird's gemacht

Die Vorlagen für die Sterne bzw. die Tannenbäume von Seite 47 kopieren, auf Fotokarton übertragen und ausschneiden. Die Konturen mit einem wasserlöslichen Markierungsstift auf die Vorderseite des jeweiligen Stoffes übertragen. Das Motiv großzügig ausschneiden. Dickes Volumenvlies (oder zwei bis drei Lagen dünneres Volumenvlies) sowie den Rückseitenstoff entsprechend groß zuschneiden. Vorder- und Rückseite links auf links aufeinanderlegen, Volumenvlies dazwischen. Alle drei Lagen aufeinanderstecken und entlang der Markierung zusammensteppen, dabei gegebenenfalls eine Kordel als Aufhänger mitfassen. Ansonsten kann ein Stück Band oder Kordel auch nachträglich zu einer Schleife gelegt und von Hand angenäht werden.

Knapp außerhalb der genähten Konturen ausschneiden. Das Motiv auf ein größeres Stück Stickvlies legen und sämtliche Kanten mit einem dichten Zick-Zack-Stich bedecken.

Dazu farblich passendes Garn verwenden. Anschließend das Stickvlies abreißen. Zur Einstellung der Nähmaschine bitte Hinweise im Grundkurs »Maschinenapplikation« auf Seite 39 beachten.

Die goldenen Karten wurden aus offener Wellpappe hergestellt, die hellen Karten bestehen aus cremefarbenem Fotokarton. Beide wurden mit verschiedenen weihnachtlichen Accessoires geschmückt, wie Flower Hair, Keramikknöpfen, einer Engelsfigur, Kordel und Quasten, Juteband, Grasfasern, Naturpapier und goldene Stabperlen.

Foto-Nähkurs: Kappnaht

1 Die beiden Stoffteile links auf links legen. Die Kante des unteren Teils steht dabei etwa 0,75 bis 1 cm über. Die beiden Teile im füßchenbreiten Abstand zur Kante des oben liegenden Teils zusammennähen.

2 Die beiden unterschiedlichen Nahtzugaben gemeinsam zur Seite bügeln, sodass die größere Nahtzugabe oben liegt.

3 Überstehende Nahtzugabe nach innen einklappen und mit Stecknadeln fixieren. Knappkantig aufsteppen.

Herstellerverzeichnis

Web- und Druckstoffe aus Baumwolle:
Westfalenstoffe AG
Albrecht-Thaer-Str. 2
D – 48147 Münster
Tel.: 0251 – 9 28 05 – 0
Internet: www.westfalenstoffe.de

Seidenstoffe (Seite 31):
Schmidt + Bleicher über:
Galerie Smend
Mainzer Str. 31
D – 50678 Köln
Tel.: 0221 – 31 20 47
Internet: www.smend.de

Leinenstoff (Seite 31):
Traumstoff
Große Gildewart 35
D – 49074 Osnabrück
Tel. + Fax: 0541 – 2 02 36 23

Vliesofix®, Stickvlies, Volumenvlies, Thermolam®:
Freudenberg
Faservliesstoffe KG
Vlieseline Vertrieb
D – 69465 Weinheim

Maschinenstickgarne, Sticktwist:
Madeira Garne
Hans-Bunte-Str. 8
D – 79108 Freiburg
Tel.: 0761 – 5 10 48 – 0
Internet: www.madeira.de

Naturpapiere, Wellpappe, Dekobänder, Streuteile aus Holz, Grasfasern:
Rayher Hobby GmbH
Diese Artikel sind im Bastelhandel erhältlich.

Osterfrühstück
Seite 15
Vorlagen mit Vergrößerungsfaktor
120 % kopieren

Herziges zum Muttertag
Seite 19

Originalgröße

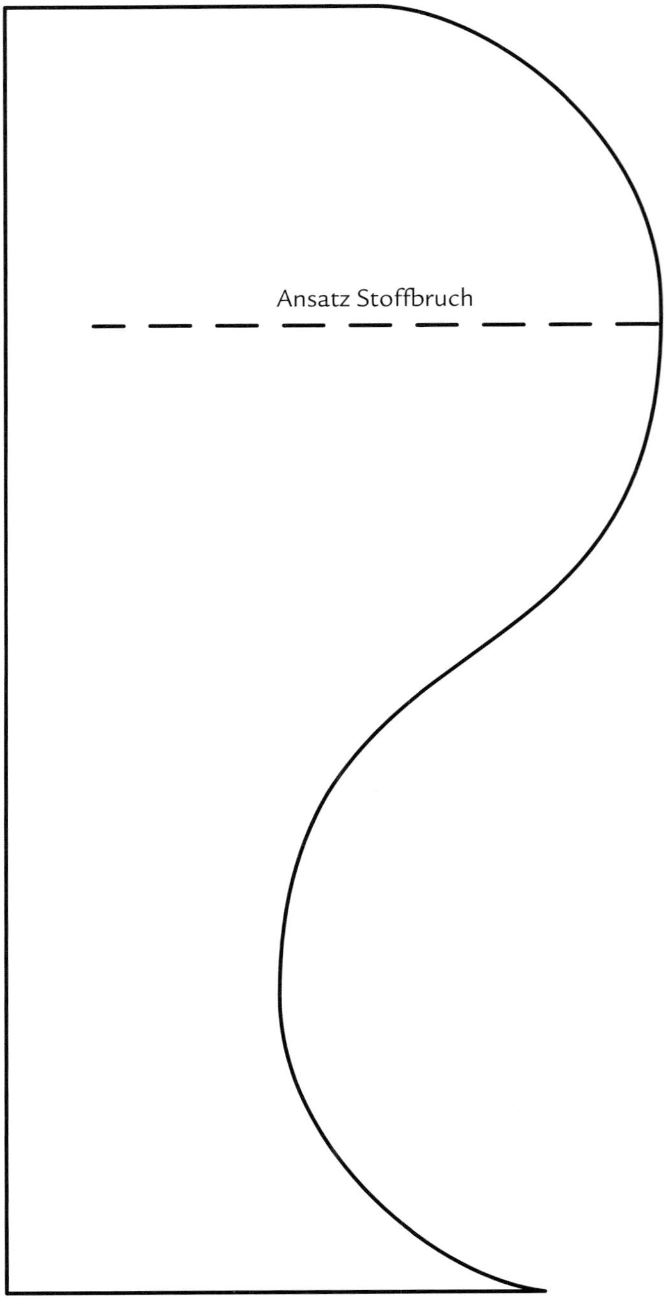

Lust auf Meer
Seite 24
Originalgröße

Sterne
Seite 43
Originalgröße

Tannenbäume
Seite 38/39
Originalgröße

Die Deutsche Bibliothek –
CIP-Einheitsaufnahme

Ein Titeldatensatz für diese Publikation ist bei Der Deutschen Bibliothek erhältlich.

Fotografie: Angela Francisca Endress, 61250 Usingen-Eschbach
Lektorat: Margit Bogner
Umschlagkonzeption: Kontrapunkt, Kopenhagen
Layout: Anton Walter, Gundelfingen
Satz: DTP-Design Walter, Gundelfingen
Herstellung und Umschlaglayout: Charmaine Müller

Augustus Verlag München 2001

Reproduktion: GAV Prepress, Gerstetten
Druck und Bindung: Appl, Wemding

Gedruckt auf 115 g umweltfreundlich elementar chlorfrei gebleichtes Papier.

ISBN 3-8043-0855-4

Printed in Germany

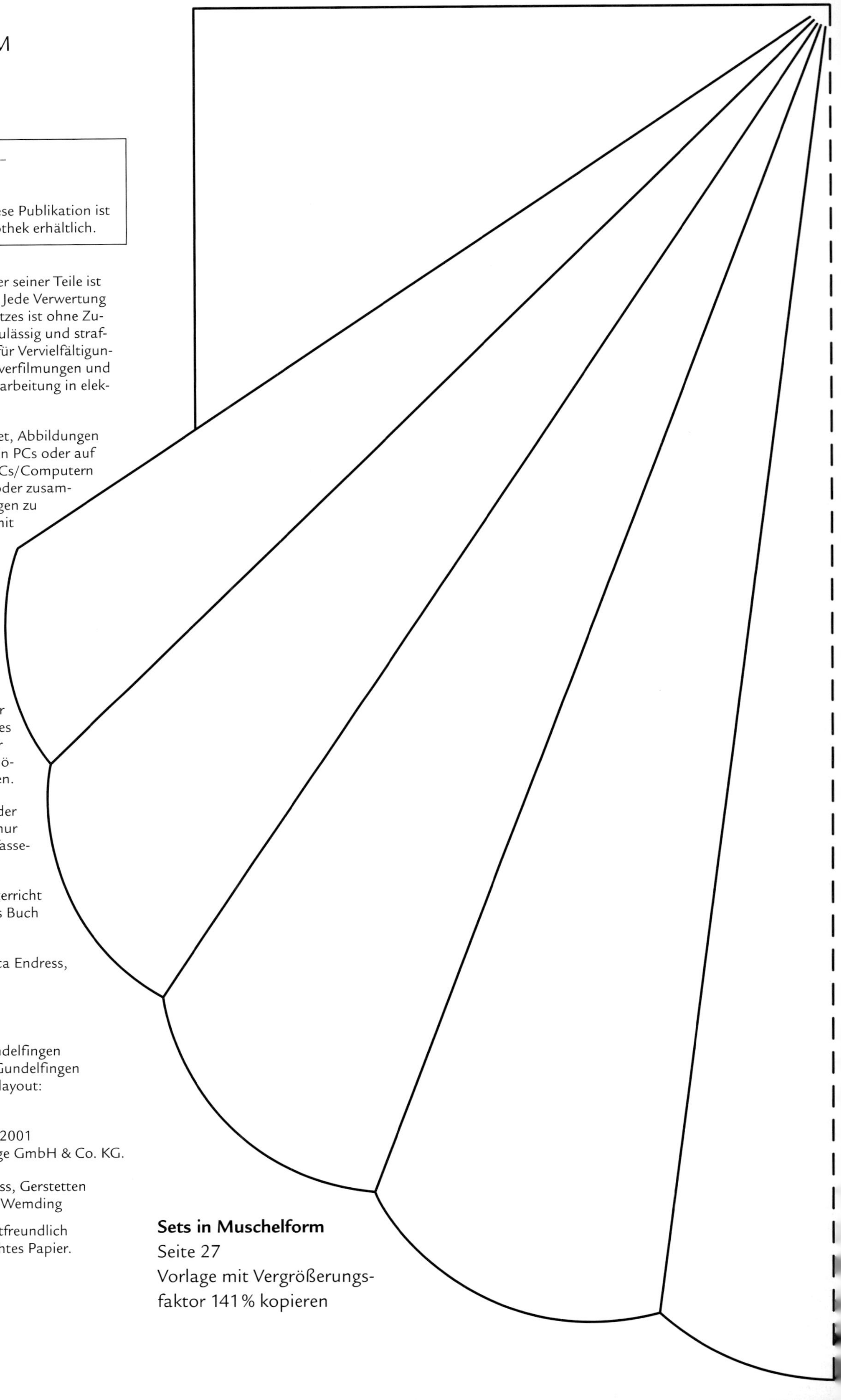

Sets in Muschelform
Seite 27
Vorlage mit Vergrößerungsfaktor 141 % kopieren